海底小纵队™ 探险记

英国 Vampire Squid Productions 有限公司 | 著绘　海豚传媒 | 编译

水 熊 虫

长江出版传媒 | 长江少年儿童出版社

图书在版编目 (CIP) 数据

水熊虫 / 英国 Vampire Squid Productions 有限公司著绘；海豚传媒编译 . -- 武汉：长江少年儿童出版社，2017.3
（海底小纵队探险记）
ISBN 978-7-5560-5549-4

Ⅰ . ①水… Ⅱ . ①英… ②海… Ⅲ . ①儿童故事 - 图画故事 - 英国 - 现代 Ⅳ . ① I561.85

中国版本图书馆 CIP 数据核字 (2016) 第 267457 号
著作权合同登记号：图字 17-2015-212

水熊虫

英国Vampire Squid Productions有限公司 / 著绘

海豚传媒 / 编译

责任编辑 / 傅一新　佟一　王炯
装帧设计 / 陈惠豪　美术编辑 / 魏嘉奇
出版发行 / 长江少年儿童出版社

经　　销 / 全国 新华书店
印　　刷 / 深圳当纳利印刷有限公司
开　　本 / 889×1194　1 / 20　5印张
版　　次 / 2017年6月第1版第3次印刷
书　　号 / ISBN 978-7-5560-5549-4
定　　价 / 16.80元

策　　划 / 海豚传媒股份有限公司（17061039）
网　　址 / www.dolphinmedia.cn　　　邮　箱 / dolphinmedia@vip.163.com
阅读咨询热线 / 027-87391723　　销售热线 / 027-87396822
海豚传媒常年法律顾问 / 湖北珞珈律师事务所　　王清　027-68754966-227

本故事由英国Vampire Squid Productions 有限公司出品的动画节目所衍生，OCTONAUTS动画由Meomi公司的原创故事改编。
中国版权运营：北京万方幸星数码科技有限公司 授权热线：（北京）010-64381191

海底小纵队

生命因探索而精彩

这是一部昭示生命美学与生态和谐的海洋童话，

这是一首承载生活教育与生存哲学的梦幻诗篇。

神秘浩瀚的海底世界，

能让孩子窥见物种诞生和四季交替，感受大自然生生不息的美感与力度；

引导他们关爱生命，关注生态平衡与绿色环保的重大现实。

惊险刺激的探险旅途，

能让孩子在因缘际会中，感知生活的缤纷底色与不可预知的精彩；

引领他们构建自我知识与品格系统，充盈成长的内驱力。

每一次完美的出发，

都是对生命的勇敢探索，更是对生活的热情礼赞！

人物档案

呱唧

Kwazii

呱唧是一只冲动的橘色小猫，有过一段神秘的海盗生涯。他性格豪放，常常会讲起自己曾经的海盗经历。呱唧热爱探险，将探险家精神展现得淋漓尽致。虽然他是只猫咪，但他从不吃鱼哟！

巴克队长

Captain Barnacles

巴克是一只北极熊，他是读解地图和图表的专家，探索未知海域和发现未知海洋生物是他保持旺盛精力的法宝。他勇敢、沉着、冷静，是小纵队引以为傲、值得信赖的队长，他的果敢决策激励着每一位成员。

谢灵通

Shellington

谢灵通是一只海獭，随身携带着一个用来观察生物的放大镜。他博学多识，无所不知，常常能发现队友们所忽略的关键细节。不过，他有时候容易分心，常常被新鲜事物所吸引。

皮医生

Peso

皮医生是一只可爱的企鹅。他是小纵队的医生，如果有人受伤，需要救治，他会全力以赴。他的勇气来自一颗关爱别人的心，无论是大型海洋动物还是小小浮游生物，都很喜欢皮医生。

达西西
Dashi

达西西是一只腊肠狗，她是小纵队的官方摄影师。她拍摄的影像是海底小纵队资料库中必不可少的一部分，而且还纳入了章鱼堡电脑系统的档案中。

突突兔
Tweak

突突兔是小纵队的机械工程师，负责维护和保养小纵队所有的交通工具。为了小纵队的某项特殊任务，突突兔还要对部分机械进行改造。她还热衷于发明一些新奇的东西，这些发明有时能派上大用场。

小萝卜
Tunip

小萝卜和其他六只植物鱼是小纵队的厨师，负责小纵队全体成员的饮食等家政服务，还管理着章鱼堡的花园。植物鱼们有自己独特的语言，这种语言只有谢灵通才能听得懂。

章教授
Professor Inkling

章教授是一只小飞象章鱼，左眼戴着单片眼镜，很爱读书，见多识广。当队员们出去执行任务的时候，他会待在基地负责联络工作。

目录 CONTENTS

海底小纵队与密斑刺鲀

"别动，泡泡。"皮医生正在给一只小密斑刺鲀上药，他的尖刺很痛。

治疗结束后，密斑刺鲀活动了一下身体，眼睛朝不同方向转动着。

呱唧正好看到了这一幕，激动得差点儿把头伸到水池里面去了。皮医生正想提醒呱唧别吓到泡泡了，突然，密斑刺鲀的身体迅速膨胀起来。

"天呐！"呱唧被突如其来的状况吓得向后摔去，恰好被刚走进来的巴克队长接住了。原来，密斑刺鲀感到害怕时，身体就会鼓起来，以此自卫。

pí yī shēng ān fǔ hǎo pào pào rán hòu dǎ kāi zhāng yú bǎo lián tōng wài miàn de tōng dào ràng pào pào
皮医生安抚好泡泡，然后打开章鱼堡连通外面的通道，让泡泡

yóu xiàng le dà hǎi
游向了大海。

bā kè duì zhǎng guā jī hé pí yī shēng lái dào jī dì zǒng bù zhǔn bèi yǔ pào pào gào bié zhè
巴克队长、呱唧和皮医生来到基地总部，准备与泡泡告别。这

shí tā men fā xiàn yì tiáo huī sè de dà yú zhèng xiàng pào pào yóu guo lai guā jī jǔ qǐ wàng yuǎn jìng
时，他们发现，一条灰色的大鱼正向泡泡游过来，呱唧举起望远镜

yí kàn jū rán shì yì tóu jīng shā
一看，居然是一头鲸鲨。

10

pào pào　　dāng xīn　　 yǒu yì tóu jīng shā cháo nǐ yóu guo lai le　　　　bā kè duì zhǎng dà shēng hǎn dào
"泡泡，当心！有一头鲸鲨朝你游过来了！"巴克队长大声喊道。

pào pào tīng dào hòu　　gǎn jǐn diào zhuǎn fāng xiàng　　kě shì lái bu jí yóu zǒu le　　tā de shēn tǐ xùn sù
泡泡听到后，赶紧调转方向，可是来不及游走了，他的身体迅速

péngzhàng qi lai　　jīng shā yì kǒu jiāng tā tūn le xià qù
膨胀起来，鲸鲨一口将他吞了下去。

pí yī shēng　　mǎ shàng qǐ dòngzhāng yú jǐng bào　　　　bā kè duì zhǎngmìng lìng dào
"皮医生，马上启动章鱼警报！"巴克队长命令道。

11

"海底小纵队，

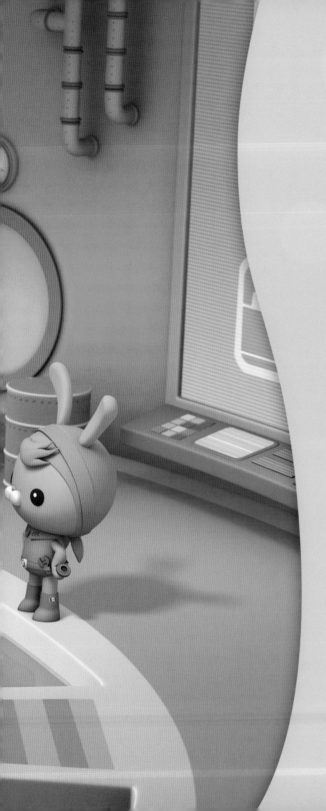

大家都到齐后，巴克队长说：

"海底小纵队，我们要想办法救密斑

刺鲀和那头鲸鲨。"

"虽然密斑刺鲀的体积很小，但

是他们的毒性在海洋中可是数一数

二的！"谢灵通解释道，"如果泡泡

被吞进了鲸鲨的胃中，他会被消化

掉的。"

"他的毒液会扩散，这会让鲸鲨

吃不消的。"皮医生补充道。

大家决定将泡泡救出来。巴克

队长、皮医生和呱唧来到发射台，

他们带上绳子和突突兔发明的用来

装密斑刺鲀的鱼袋，出发了。

在途中，队长布置了任务："呱唧，你要游到鲸鲨的嘴里，找到泡泡，把他放在鱼袋里……"

"然后我们就会用绳子把你拉出来。"皮医生接着说。

这时，他们看到鲸鲨正在追赶一大群小磷虾。

bǎ yú dài bǎng zài shēnshang guā jī
"把鱼袋绑在身上，呱唧。"bā kè duì zhǎng yì shēng lìng xià kě shì tā yì巴克队长一声令下，可是他一

huí tóu fā xiàn guā jī bú zài jiàn tǐng li yuán lái guā jī shēnshang jì zhe shéng zi yǐ jīng
回头，发现呱唧不在舰艇里。原来，呱唧身上系着绳子，已经

yóu dào le jīng shā de zuǐ biān kě shì tā què bǎ yú dài gěi wàng le
游到了鲸鲨的嘴边，可是他却把鱼袋给忘了。

pí yī shēng nǐ lái jià shǐ bā kè duì zhǎngshuō wán ná qǐ yú dài zhuī le chū qù
"皮医生，你来驾驶。"巴克队长说完，拿起鱼袋追了出去。

17

guā jī yóu jìn jīng shā de zuǐ li wǒ lái jiù nǐ la pào pào tā dà hǎn yì shēng
呱唧游进鲸鲨的嘴里，"我来救你啦，泡泡！"他大喊一声。

pào pào xià de shēn tǐ yòu péngzhàng qǐ lai guā jī shì tú ān fǔ yí xià pào pào jié guǒ bèi pào
泡泡吓得身体又膨胀起来，呱唧试图安抚一下泡泡，结果被泡

pào de jiān cì zhā dào le shǒu
泡的尖刺扎到了手。

āi yō fàngsōng wǒ yào bǎ nǐ fàng jìn guā jī shuō zhe qù qǔ yú dài
"哎哟！放松，我要把你放进……"呱唧说着去取鱼袋，

zhè cái fā xiàn yú dài wàng ná le
这才发现鱼袋忘拿了。

18

yú dài lái la　zhèng zài zhè shí　bā kè duì zhǎng gǎn
“鱼袋来啦！”正在这时，巴克队长赶

dào jīng shā de zuǐ ba wài　tā zhèng zhǔn bèi jiāng yú dài pāo gěi guā jī
到鲸鲨的嘴巴外。他正准备将鱼袋抛给呱唧，

jīng shā de dà zuǐ tū rán hé shàng　shéng zi pēng de yì shēng duàn le
鲸鲨的大嘴突然合上，绳子砰的一声断了。

bā kè duì zhǎng huí dào jiàn tǐng li　qǐ dòng wō lún pēn shè qì
巴克队长回到舰艇里，启动涡轮喷射器，

jiā sù cháo jīng shā de fāng xiàng shǐ qù
加速朝鲸鲨的方向驶去。

此时，在鲸鲨的嘴巴里，为了安抚泡泡，呱唧正在给他表演舞蹈。

"真好玩儿，那现在呢？"泡泡看够了舞蹈，问道。

呱唧迅速开动大脑，说："现在是讲故事时间。从前，呱唧叔叔和一只可爱的小密斑刺鲀……"

另一边，巴克队长和皮医生终于来到了鲸鲨的前方。他们准备执行第二套方案，就是等鲸鲨张开嘴的时候，皮医生带着鱼袋游进去，把泡泡放进鱼袋里，然后再由巴克队长抛出绳子，把他们拉出来。

21

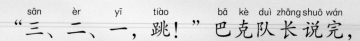

"三、二、一，跳！"巴克队长说完，
和皮医生一起跳到了鲸鲨的背上。

皮医生立刻游进了鲸鲨的嘴
里，巴克队长则带着绳子来到
鲸鲨嘴边。他用力撑着鲸鲨的
嘴巴，想给皮医生他们多争
取一些时间。

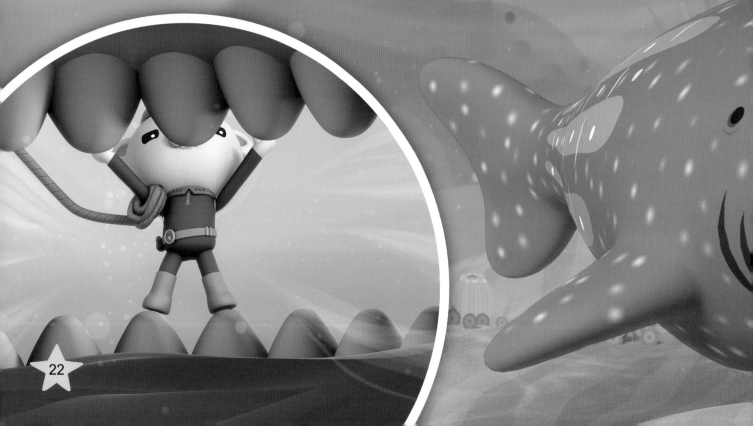

kàn dào pí yī shēng　guā jī fēi cháng kāi xīn　tū rán　yì gǔ shuǐ liú
看到皮医生，呱唧非常开心。突然，一股水流

yǒng le jìn lái　jīng shā de zuǐ ba yào hé shàng le
涌了进来，鲸鲨的嘴巴要合上了。

bā kè duì zhǎng shí zài nán yǐ dǐ kàng zhè qiáng dà de xī lì
巴克队长实在难以抵抗这强大的吸力，

jiù zài jīng shā de zuǐ ba hé shàng de yí shùn jiān　bā kè duì zhǎng
就在鲸鲨的嘴巴合上的一瞬间，巴克队长

chōng le jìn lái　ér lián jiē dēng long yú tǐng de shéng zi yòu duàn le
冲了进来，而连接灯笼鱼艇的绳子又断了。

23

“巴克叔叔也来了。”呱唧开玩笑地说道。鲸鲨突然往上游，巴克队长一行人向深处滑去。要是穿过海绵组织，他们就会到胃里了。

幸好鲸鲨又来了个俯冲，他们又向反方向滑了过去。

接着，鲸鲨张开了大嘴，一群磷虾伴着水流被吸了进来。他们三人逆着水流往外游。呱唧率先游到了外面，可是他怀里的泡泡却一不小心滚落到鲸鲨的嘴里。

鲸鲨的嘴又合上了。

泡泡掉进去之后，径直穿过海绵组织，向下落去。

"我们不能让他掉进胃里去！"巴克队长和皮医生穿过海绵组织，在距胃部黏液一步之遥的地方停了下来。泡泡就卡在他们和胃部黏液之间的内壁上，但是他们够不到泡泡。

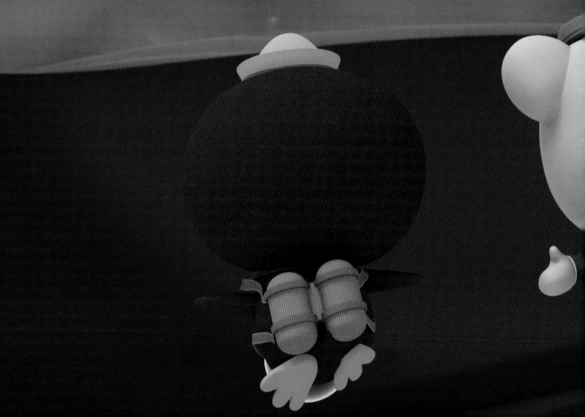

在外面，呱唧正抓着刚才巴克队长
情急之下抛给他的绳子，趴在鲸鲨的背
上，等待下一步动作。而鲸鲨不停地发
出闷响，还抖动着身体，估计是泡泡的
尖刺刺得鲸鲨非常难受。

bā kè duì zhǎngxiǎng le gè bàn fǎ   tā pā zài nèi bì biān yuán chù
巴克队长想了个办法，他趴在内壁边缘处，

lā zhe pí yī shēng   zài yóu pí yī shēngshēnshǒu qù zhuā pào pào
拉着皮医生，再由皮医生伸手去抓泡泡。

zhuā zhù nǐ la   pí yī shēngchénggōng de zhuā qǐ le pào pào
"抓住你啦！"皮医生成功地抓起了泡泡，

pào pào de shēn tǐ yě jiàn jiàn fàng sōng le
泡泡的身体也渐渐放松了。

tā men gāng pá shang lai   jīng shā de shēn tǐ tū rán chàndòng qi lai
他们刚爬上来，鲸鲨的身体突然颤动起来。

pí yī shēng méi zhàn wěn   yí pì gu diē zuò xia qu
皮医生没站稳，一屁股跌坐下去，

tā huái li de pào pào xiàng lù sè de nián yè fēi qù
他怀里的泡泡向绿色的黏液飞去。

bā kè duì zhǎng gǎn jǐn fēi shēn pū le guò qù   gǎn zài pào pào luò rù nián yè zhī qián zhuā zhù le tā
巴克队长赶紧飞身扑了过去，赶在泡泡落入黏液之前抓住了他，

kě shì bā kè duì zhǎng què xiàn jìn le nián yè li
可是巴克队长却陷进了黏液里。

"皮医生，马上启动鱼袋！"

巴克队长说完，将泡泡抛给了皮医生。皮医生立刻将他装进了便携鱼袋里。

"抱歉，我们就不留下来吃饭了。"巴克队长边往上爬，边打趣地说道。

而就在巴克队长和皮医生奋力营救泡泡的时候，鲸鲨的大嘴又张开了。呱唧没有看到巴克队长和皮医生，非常着急。他只得回到鲸鲨的背上，见机行事。

鲸鲨为了追赶磷虾，在水里翻了好几个跟头，呱唧都快晕了。

bā kè duì zhǎng　　pí yī shēng dài zhe yú dài zài jīng shā de dù zi li yě suí zhe fān le
巴克队长、皮医生带着鱼袋在鲸鲨的肚子里也随着翻了

jǐ gè gēn tou　　tā men chuān guò hǎi mián zǔ zhī　　huí dào le jīng shā de zuǐ li
几个跟头，他们穿过海绵组织，回到了鲸鲨的嘴里。

jīng shā zài yí cì zhāng kāi zuǐ ba　　qiáng dà de xī lì ràng bā kè duì zhǎng hé pí yī shēng
鲸鲨再一次张开嘴巴，强大的吸力让巴克队长和皮医生

jīn bu zhù wǎng hòu dǎo qù
禁不住往后倒去。

正在这时，呱唧出现了，他把绳子抛向队长，队长和皮医生抓紧绳子后，呱唧用力将他们拉了出来。

他们三人带着鱼袋爬到了鲸鲨的

背上，队长和呱唧相视一笑，碰了一

下拳头。

"谢谢你的顺风车，鲸鲨。"呱唧

开玩笑地说。

"不过我们要从这儿下去啦！"巴

克队长喊道。

离开鲸鲨之后，皮医生把泡泡从

鱼袋中放了出来。"以后你可要留心那

些大个儿的鱼啊！"皮医生叮嘱道。

"我会用这只眼睛，还有这只眼睛

盯着他们的。"泡泡说着分别转动起两

只眼睛。大家看到后都笑了起来。

欢迎进入本期海底报告，这次我们要介绍的是**密斑刺鲀**!

密斑刺鲀个头小

害怕时就变泡泡

鱼儿见它就逃跑

被刺扎到受不了

它们味道不太好

密斑刺鲀，有毒不能咬

海底小纵队与水熊虫

这一天，巴克队长、呱唧、皮医生和谢灵通驾驶着灯笼鱼艇来到了熔岩隧道。

"我没看见有岩浆啊？"呱唧通过望远镜观察了一下，不解地问道。

nà shì yīn
"那是因

wèi yán jiāng dōu zài dì dǐ xia
为岩浆都在地底下，

chì rè de yán jiāng zài hǎi dǐ liú dòng lěng què yǐ hòu jiù xíng chéng le zhè yàng de yán dòng
炽热的岩浆在海底流动，冷却以后，就形成了这样的岩洞。"

xiè líng tōng jiě shì dào yě jiù shì róng yán suì dào zhè lǐ miàn shì fēi cháng rè de
谢灵通解释道，"也就是熔岩隧道，这里面是非常热的。"

tā men jīn tiān guò lai jiù shì yào yòng yì zhǒng zhuān mén de wēn dù jì lái tàn cè zhè lǐ
他们今天过来，就是要用一种专门的温度计来探测这里

de wēn dù bā kè duì zhǎng tí xǐng dà jiā yào xiǎo xīn sōng dòng de yán shí hé zhēng qì kǒng
的温度。巴克队长提醒大家要小心松动的岩石和蒸汽孔。

隧道里面的温度太高，他们只能在外面探测。果然，外面到处都是蒸汽孔和滑落的岩石。

皮医生差点儿就被一块石头砸中了，他心有余悸地说道："如果我能再强壮一点，再快一点就好了。"

"嘿！哥们儿，你没事儿吧？"一个声音响起。皮医生望了望周围，不知道声音来自何处。

"是我，在下边呢！"那个声音提醒道。

皮医生循声看过去，发现不远处有一块岩石。

41

pí yī shēng hào qí de jiāng yán shí jiǎn qǐ lai
皮医生好奇地将岩石捡起来，

yán shí yòu shuō huà le   wǒ jiào fú lán kè
岩石又说话了："我叫弗兰克，

nǐ ne   pí yī shēng   pí yī shēng
你呢？""皮医生！"皮医生

lǐ mào de huí dào
礼貌地回道。

bā kè duì zhǎng tā men xún shēng gǎn
巴克队长他们循声赶

lái   pí yī shēng gào su duì zhǎng shuō
来，皮医生告诉队长说：

wǒ fā xiàn le yí kuài yán shí   tā
"我发现了一块岩石，他

jiào fú lán kè
叫弗兰克。"

xiè líng tōng ná qǐ fàng dà jìng
谢灵通拿起放大镜

kàn le kàn   gào su dà jiā   fú
看了看，告诉大家："弗

lán kè bú shì yán shí   shì zhī shuǐ
兰克不是岩石，是只水

xióng chóng   shì yì zhǒng xiǎo xíng shēng wù
熊虫，是一种小型生物，

tā men biàn bù zài shì jiè gè dì
他们遍布在世界各地。"

méi cuò   wǒ de shū shu gài lǐ shèn zhì hái qù guò wài tài kōng ne   fú lán kè jiē huà dào
"没错，我的叔叔盖理甚至还去过外太空呢！"弗兰克接话道。

可你们那么小！" 呱唧觉得不可思议。

"我们是小，但是我们很顽强……" 弗兰克话还未说

完，就被一股蒸汽喷进了熔岩隧道。

巴克队长赶紧召集其他成员到基地总部，章教授了解情况后，

提醒道："熔岩隧道很危险，不知道岩浆什么时候会突然喷发。"

"我们需要先看看里面的情况，再确定方案。"队长说。

大家马上开始行动，这次他们使用了一个新的装备——漫游相

机，它能实时传送熔岩隧道里的情况。

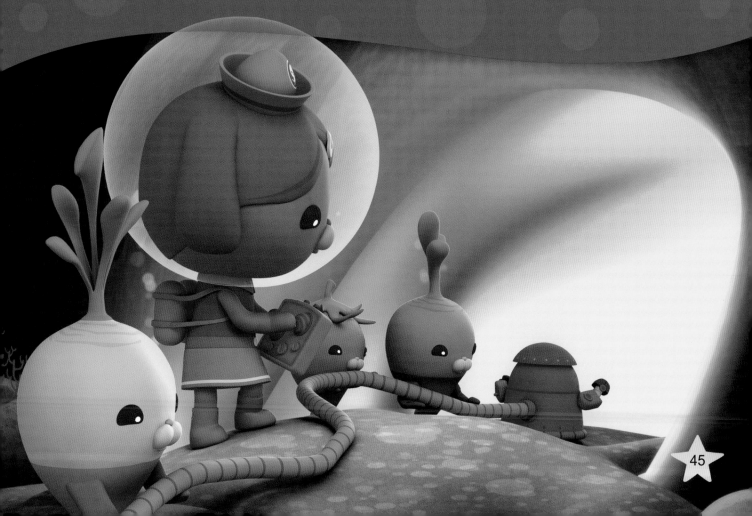

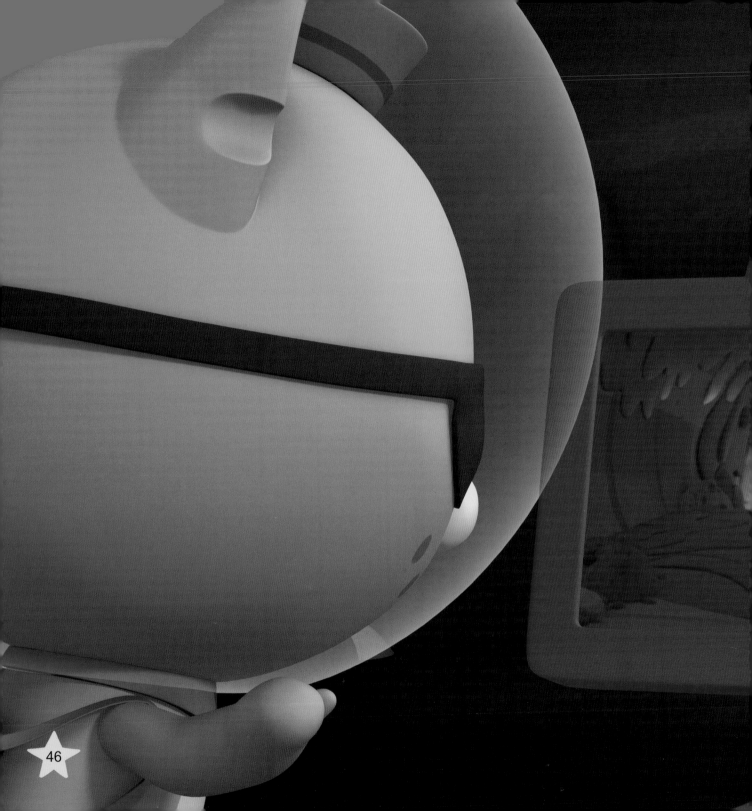

这个装备
zhè ge zhuāng bèi

的一端自动进入
de yì duān zì dòng jìn rù

熔岩隧道，另一端连
róng yán suì dào lìng yì duān lián

接着显示屏。大家可以通
jiē zhe xiǎn shì píng dà jiā kě yǐ tōng

过显示屏观察到隧道里面的情况。
guò xiǎn shì píng guān chá dào suì dào lǐ miàn de qíng kuàng

"看着真热！"呱唧感叹道。
kàn zhe zhēn rè guā jī gǎn tàn dào

"但愿弗兰克在里面没有危险。"皮
dàn yuàn fú lán kè zài lǐ miàn méi yǒu wēi xiǎn pí

医生祈祷着。
yī shēng qí dǎo zhe

漫游相机慢慢深入，巴克队长很
màn yóu xiàng jī màn màn shēn rù bā kè duì zhǎng hěn

快就在显示屏上发现了弗兰克所在的岩
kuài jiù zài xiǎn shì píng shang fā xiàn le fú lán kè suǒ zài de yán

石。"能把那块石头捡出来吗？"他问。
shí néng bǎ nà kuài shí tou jiǎn chu lai ma tā wèn

"我试试！"达西西说着，按下一
wǒ shì shi dá xī xī shuō zhe àn xià yí

个按钮。漫游相机很快就伸出一只手
gè àn niǔ màn yóu xiàng jī hěn kuài jiù shēn chū yì zhī shǒu

臂，准备接近弗兰克。
bì zhǔn bèi jiē jìn fú lán kè

47

“一定要稳住！”达西西小心翼翼地说。

就在相机的手臂快抓住那块石头的一刹那，显示屏上的图像闪烁起来，接着，信号就中断了。“漫游相机一定是被高温烧坏了。”达西西很沮丧。

“我们只能靠自己进去找弗兰克了！”巴克队长说。

bù néng jiù zhè yàng jìn róng yán suì dào　　　lǐ miàn gēn kǎo xiāng yí yàng　　　xiè líng tōng hěn dān yōu
"不能就这样进熔岩隧道，里面跟烤箱一样！"谢灵通很担忧。

suǒ yǐ wǒ dài le zhè ge　　　tū tū tù ná chū yí tào hóng sè zhuāng bèi　　　nài rè qián shuǐ
"所以我带了这个！"突突兔拿出一套红色装备，"耐热潜水

fú　　tā néng fáng zhǐ gāo wēn tàng shāng　　zhāng yú yǎn jìng zé néng bāng zhù nǐ men kàn dào fú lán kè
服 它能防止高温烫伤，章鱼眼镜则能帮助你们看到弗兰克！"

bā kè duì zhǎng　guā jī hé pí yī shēng lì kè huàn
巴克队长、呱唧和皮医生立刻换

shàng nài rè qián shuǐ fú　　jìn rù le suì dào
上耐热潜水服，进入了隧道。

zhǐ yào wǒ men shùn zhe diàn lǎn zǒu　　yīng gāi jiù néng
"只要我们顺着电缆走，应该就能

zhǎo dào fú lán kè de shí tou　　duì zhǎng fēn xī zhe
找到弗兰克的石头。"队长分析着。

tū rán   tā men zhōu wéi zhèn dòng qǐ lai   dá xī xī chuán lái xiāo xi
突然，他们周围震动起来。达西西传来消息

shuō   yán jiāng suí shí kě néng pēn fā   tā men bì xū kuài diǎn
说，岩浆随时可能喷发，他们必须快点。

zhèn dòng yuè lái yuè lì hai   bā kè duì zhǎng mìng lìng dà jiā pā xià
震动越来越厉害，巴克队长命令大家趴下。

qíng kuàng shāo wēi wěn dìng hòu   guā jī xīn yǒu yú jì de shuō   wǒ yǐ wéi zhěng gè suì dào dōu yào tā
情况稍微稳定后，呱唧心有余悸地说："我以为整个隧道都要塌

le ne   zhè shí   yí kuài shí tou zá xia lai   gāng hǎo jiāng zhāng yú yǎn jìng gài zài guā jī de yǎn jing shang
了呢！"这时，一块石头砸下来，刚好将章鱼眼镜盖在呱唧的眼睛上。

呱唧叫道："快看，是漫游相机，就在我们面前！"

巴克队长将呱唧的眼镜推了上去，呱唧这才发现原来是

章鱼眼镜把物体放大了。

他们继续前行，不一会儿就发现了弗兰克的石头，但他们并没

有看到弗兰克。这时，熟悉的声音传来："皮医生，我在这儿！"

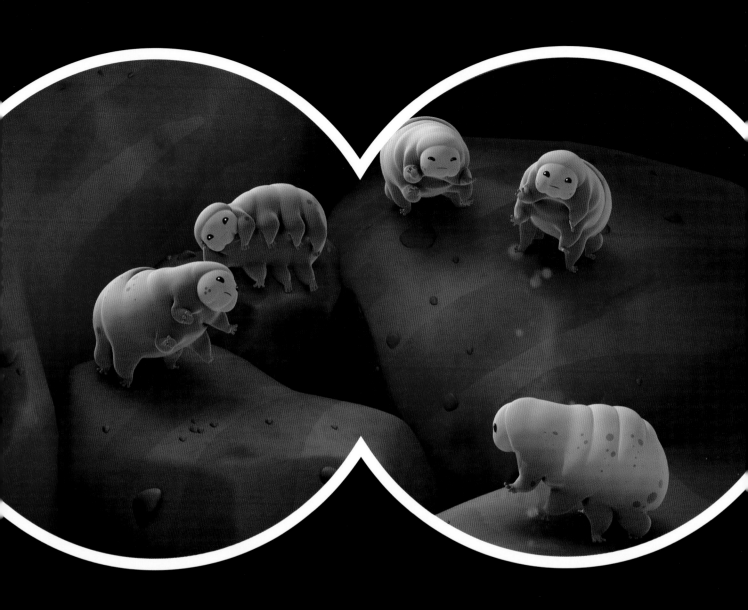

shì fú lán kè　　tā hé lìng wài jǐ zhī shuǐ xióng chóng dōu ān quán de dāi zài suì dào li　　fú lán kè
是弗兰克！他和另外几只水熊虫都安全地待在隧道里，弗兰克

gào su pí yī shēng　dāi zài zhè er fēi cháng hǎo　　ér qiě hái pèng dào le bù shǎo hǎo péng you
告诉皮医生，待在这儿非常好，而且还碰到了不少好朋友。

原来，水熊虫完全可以在高温环境中生存，巴克队长他们松了一口气。

达西西的声音再次传来，"队长，岩浆就要喷发了！"

巴克队长赶紧要水熊虫和他们一块儿出去，但是水熊虫们拒绝了。

巴克队长告诉他们，岩浆马上要将熔岩隧道灌满了。水熊虫们这才开始着急，他们终于同意出去。

由于水熊虫行动太缓慢，队长不得不将水熊虫放在石头上，然后抱着石头往外游。

^{gāng yóu le méi duō yuǎn} ^{yán jiāng jiù kāi shǐ pēn fā} ^{tā men gǎn jǐn jiā kuài le sù dù}
刚游了没多远，岩浆就开始喷发，他们赶紧加快了速度。

^{rú guǒ wǒ néng zài zhuàng diǎn er} ^{zài kuài diǎn er} ^{nà jiù hǎo le} ^{pí yī shēng chī lì de}
"如果我能再壮点儿，再快点儿，那就好了！"皮医生吃力地

^{shuō dào}
说道。

^{jiā yóu} ^{wǒ shū shu gài lǐ cháng shuō} ^{qiáng zhuàng hé sù dù dōu bú zhòng yào} ^{zhǐ yào yì zhì jiān}
"加油！我叔叔盖理常说，强壮和速度都不重要，只要意志坚

^{qiáng jiù xíng} ^{fú lán kè gǔ lì dào}
强就行！"弗兰克鼓励道。

shuō wán　　　fú lán kè kāi shǐ fàn kùn　　yuán lái　　dāng shuǐ xióng chóng gǎn jué dào rè de shí hou jiù huì
说完，弗兰克开始犯困。原来，当水熊虫感觉到热的时候就会

shuì jiào　　　wēn dù jiàng xia lai cái huì xǐng
睡觉，温度降下来才会醒。

　　tū rán　　　jǐ kuài shí tóu diào xia lai　　　zài tā men shēn hòu xíng chéng le yì dǔ shí qiáng　zāo gāo de
突然，几块石头掉下来，在他们身后形成了一堵石墙。糟糕的

shì　　dà jiā fā xiàn fú lán kè bú jiàn le　　tā bèi dǎng zài le shí tou hòu miàn
是，大家发现弗兰克不见了，他被挡在了石头后面！

要救弗兰克，就必须穿过那些石头，他们首先得挪走堵住的石头，打出一个通道。

呱唧率先朝石头踢了过去，但是很快就被弹了回来。巴克队长做了一下简单的准备活动，然后走向石堆。他费了很大的力气，总算挪走了一块石头。那里露出了一个小洞口。

现在，必须有人从这个小洞口游过去救弗兰克。洞口的大小只能勉强让皮医生通过，皮医生毫不犹豫地朝前游去。

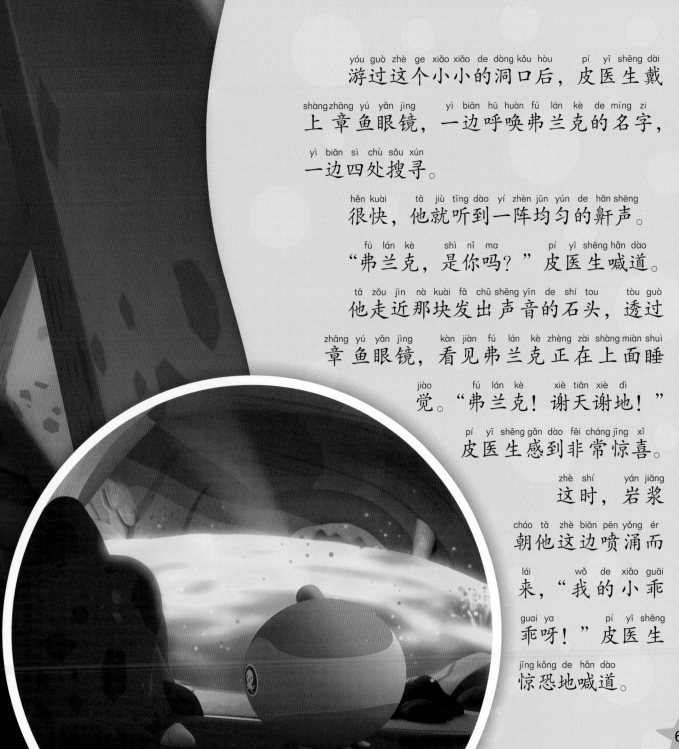

游过这个小小的洞口后，皮医生戴上章鱼眼镜，一边呼唤弗兰克的名字，一边四处搜寻。

很快，他就听到一阵均匀的鼾声。

"弗兰克，是你吗？"皮医生喊道。

他走近那块发出声音的石头，透过章鱼眼镜，看见弗兰克正在上面睡觉。"弗兰克！谢天谢地！"皮医生感到非常惊喜。

这时，岩浆朝他这边喷涌而来，"我的小乖乖呀！"皮医生惊恐地喊道。

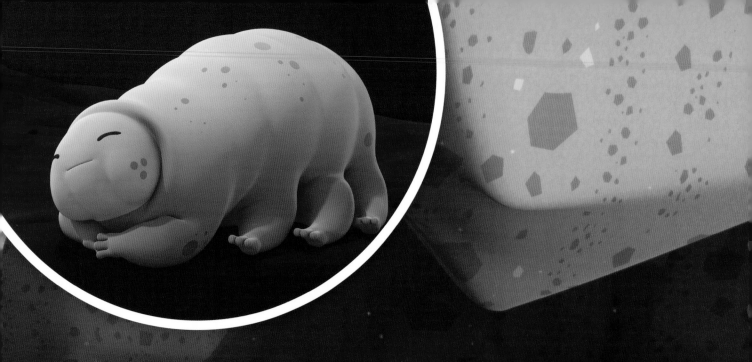

　　　　pí yī shēng　　kuài diǎn er　　　　bā kè duì zhǎng zháo jí de shuō
　　"皮医生，快点儿！"巴克队长着急地说。

　　　　pí yī shēng gǎn jǐn ná qǐ nà kuài shí tou　　cháo dòng kǒu fēi kuài de yóu qù　　bù míng bai qíng kuàng
　　皮医生赶紧拿起那块石头，朝洞口飞快地游去。不明白情况

de fú lán kè yì biān dǎ zhe hā qian　　yì biān mí hu de wèn dào　　wǒ men yào qù dōu fēng ma
的弗兰克一边打着哈欠，一边迷糊地问道："我们要去兜风吗？"

　　hěn kuài　　　pí yī shēng jiù yóu dào le dòng kǒu　　zǎo yǐ shǒu zài nà er de guā jī kuài sù de jiāng
　　很快，皮医生就游到了洞口，早已守在那儿的呱唧快速地将

pí yī shēng lā le chū lái
皮医生拉了出来。

　　　　wǒ men zǒu　　　bā kè duì zhǎng lì kè zhuǎn shēn　　tā men bìng pái cháo suì dào kǒu chōng guo qu
　　"我们走！"巴克队长立刻转身，他们并排朝隧道口冲过去。

　　　　yán jiāng lái shì xiōng xiōng　　qíng kuàng shí fēn jǐn jí　　bā kè duì zhǎng gěi dà jiā gǔ jìn er
　　岩浆来势汹汹，情况十分紧急，巴克队长给大家鼓劲儿：

duì yuán men　　jì xù qián jìn
"队员们，继续前进！"

巴克队长他们刚冲出隧道口，一股岩浆猛地涌了出来。

"我们成功了！"皮医生激动地说。

守在隧道外的突突兔、谢灵通、达西西和植物鱼们，看到他们平安出来，都松了一口气。

"刚才好险啊！"拿着相机的达西西忍不住感叹道。

离开隧道后，温度降了下来，弗兰克翻了个身，总算醒了。"我们出来了，我错过好戏了吗？"他遗憾地问道。

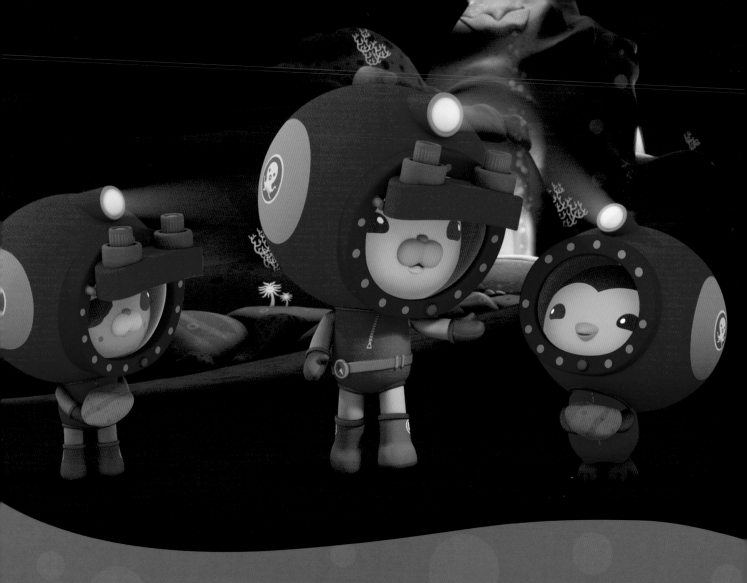

dà jiā dōu cóng róng yán suì dào li táo chu lai le ān rán wú yàng guā jī fēi cháng gāo xìng
"大家都从熔岩隧道里逃出来了！安然无恙！"呱唧非常高兴。

nǐ shuō de méi cuò zhè cì kě duō kuī le pí yī shēng duì zhǎng gǎn jī de shuō
"你说得没错，这次可多亏了皮医生！"队长感激地说。

pí yī shēng hǎo yàng de wǒ jiù zhī dào nǐ hěn bàng huǒ jì fú lán kè fù hè dào
"皮医生，好样的！我就知道你很棒，伙计！"弗兰克附和道。

"我虽然不是最强壮的，也不是最快的，但我很顽强！"

皮医生自信地回应着大家。

"你比我叔叔盖理还顽强呢！你是我见过的最顽强的企鹅，还是我的好朋友！"弗兰克大声赞扬道。

海底报告

欢迎进入本期海底报告，这次我们要介绍的是**水熊虫**！

水熊虫们非常小

睁大眼睛也难找

长得小却不一般

恶劣环境能自保

高温从来不害怕

温度若太高，倒头睡大觉

海底小纵队与湾鳄

章鱼堡里，海底小纵队正在讨论他们的新设备。

"队长，多亏有了舰艇上的新相机，我拍到了很漂亮的南极海洋生物的照片。"海底小纵队的专职摄影师达西西说道。

gàn de hǎo   dá xī xī   bā kè duì zhǎng gǔ lì dào
"干得好，达西西！"巴克队长鼓励道。

tiān zhī dào wǒ men jīn tiān hái huì pèng dào shén me   yì páng de xiè líng tōng jiē huà dào
"天知道我们今天还会碰到什么！"一旁的谢灵通接话道。

zhè shí   zhāng yú bǎo wài   sān zhī hǎi tún tū rán yóu guo lai   zhōng jiān de nà zhī huāng
这时，章鱼堡外，三只海豚突然游过来，中间的那只慌

zhāng de hǎn dào   hǎi yáng li yǒu guài wu   kuài táo mìng ba
张地喊道："海洋里有怪物，快逃命吧！"

71

"怪物？"巴克队长很疑惑。

"至少有三个，我看到的是一个大头巨齿的家伙。"那只海豚继续说道。

"我看到的是一条蠕动着的巨型海蛇。""我也看到了，可是看不到它的全身，真是太大了。"另外两只海豚补充道。

"你们到底在哪儿看到的这些恐怖的海洋怪物啊？"呱唧上前问道。

"就在附近，我们一直在跑，可不想再撞上那些怪物了！"第一只海豚说道。接着，他们快速游走了。

wèi le nòng qīng qíng kuàng　bā kè duì zhǎng　guā jī
为了弄清情况，巴克队长、呱唧

hé pí yī shēng kāi qǐ le jiàn tǐng xiàng jī　jià shǐ zhe jiàn tǐng chū fā le
和皮医生开启了舰艇相机，驾驶着舰艇出发了。

xíng shǐ le yí duàn jù lí hòu　bā kè duì zhǎng jiù fā xiàn le yì cháng　wǒ gānggāng kàn dào
行驶了一段距离后，巴克队长就发现了异常，"我刚刚看到

le yí gè dà tóu guài wu　yǔ gāng cái dì yī zhī hǎi tún suǒ miáo shù de guài wu yì mú yí yàng
了一个大头怪物，与刚才第一只海豚所描述的怪物一模一样。"

bù jiǔ　pí yī shēng chuán lái xiāo xi　wǒ gānggāng yě kàn dào le nà zhī hǎi tún shuō
不久，皮医生传来消息："我刚刚也看到了那只海豚说

de hǎi　hǎi shé　à　wǒ yùn qi bù hǎo　méi yǒu kàn dào rèn hé
的海……海蛇！""啊！我运气不好，没有看到任何

guài wu de yǐng zi　guā jī tū rán huà fēng yì zhuǎn　wǒ kàn
怪物的影子……"呱唧突然话锋一转，"我看

dào la　tā xiàn zài chòng wǒ lái le
到啦！它现在冲我来了！"

74

nà ge guài wu jiāng hǔ shā tǐng zhuàng fān rán hòu lí kāi le bā kè duì zhǎng tā men zhǐ dé xiān huí
那个怪物将虎鲨艇撞翻，然后离开了。巴克队长他们只得先回

zhāng yú bǎo
章鱼堡。

lái kàn kan jiàn tǐng xiàng jī pāi de zhào piàn ba dá xī xī shuō
"来看看舰艇相机拍的照片吧！"达西西说。

xiè líng tōng kàn le kàn shuō wǒ jué de kě néng bú shì sān gè
谢灵通看了看，说："我觉得可能不是三个

guài wu shuō zhe tā jiāng sān zhāng zhào piàn tiáo zhěng le shùn xù
怪物。"说着，他将三张照片调整了顺序。

谢灵通很快有了答案，"他叫湾鳄，是世界上最大的鳄鱼，有公共汽车那么大。"

"湾鳄一般只生活在像澳大利亚这些地方，离这儿很远呢！"达西西说。

谢灵通解释道："湾鳄会在不同的区域之间移动，来保持健康所需的适宜温度。"

bā kè duì zhǎng gǎn dào hěn dān yōu　　　　kě shì zhè lǐ shì nán jí　　zài zhè zhǒng jí hán tiān qì xià
巴克队长感到很担忧："可是这里是南极，在这种极寒天气下，

tā chēng bù liǎo tài jiǔ de
他撑不了太久的。"

bā kè duì zhǎng lì kè qǐ dòng zhāng yú jǐng bào　　dà jiā dōu dào qí hòu　　tā shuō　　xiàn zài yǒu
巴克队长立刻启动章鱼警报，大家都到齐后，他说："现在有

zhī wān è mí lù le　　wǒ men de rèn wu shì zhǎo dào tā　　sòng tā huí jiā
只湾鳄迷路了，我们的任务是找到他，送他回家！"

shuō wán　　guā jī hé pí yī shēng lì kè dēng shàng jiàn tǐng　　hé bā kè duì zhǎng yì qǐ chū fā le
说完，呱唧和皮医生立刻登上舰艇，和巴克队长一起出发了。

路上，巴克队长提醒大家，

湾鳄是一种危险的生物，如果

受到刺激，可能会袭击他们。

正当他们讨论时，湾鳄出现了，

他试图撞击舰艇。

chū hū yì liào de shì　　méi guò duō jiǔ
出乎意料的是，没过多久，

wān è jìng xia lai le　　tā de shēn tǐ kāi shǐ xià chén　　zuì hòu
湾鳄静下来了，他的身体开始下沉，最后

pā zài le hǎi dǐ　　pí yī shēng xià qu jiǎn chá　　fā xiàn wān è de xīn tiào hěn ruò hěn màn
趴在了海底。皮医生下去检查，发现湾鳄的心跳很弱很慢。

xiè líng tōng gào su tā men　　zài fēi cháng lěng de shí hou　　wān è de shēn tǐ jī néng huì
谢灵通告诉他们："在非常冷的时候，湾鳄的身体机能会

jiǎn màn　　jìn rù shuì mián zhuàng tài　　tā men bù chī dōng xi　　yě bù hū xī　　néng chí xù hěn
减慢，进入睡眠状态。他们不吃东西，也不呼吸，能持续很

cháng yí duàn shí jiān
长一段时间。"

wān è kě néng bù zhī dào huí jiā de lù　　jí hán de tiáo jiàn xià　　tā yǒu
"湾鳄可能不知道回家的路，极寒的条件下，他有

kě néng xǐng bú guò lái　　bā kè duì zhǎng hěn dān xīn　　tā men bì xū
可能醒不过来。"巴克队长很担心，他们必须

jiāng wān è dài huí zhāng yú bǎo　　ràng tā nuǎn huo qi lai
将湾鳄带回章鱼堡，让他暖和起来。

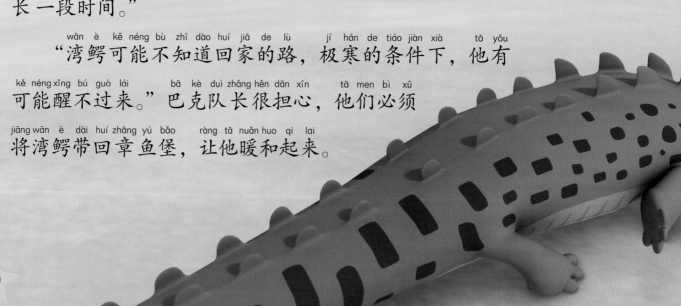

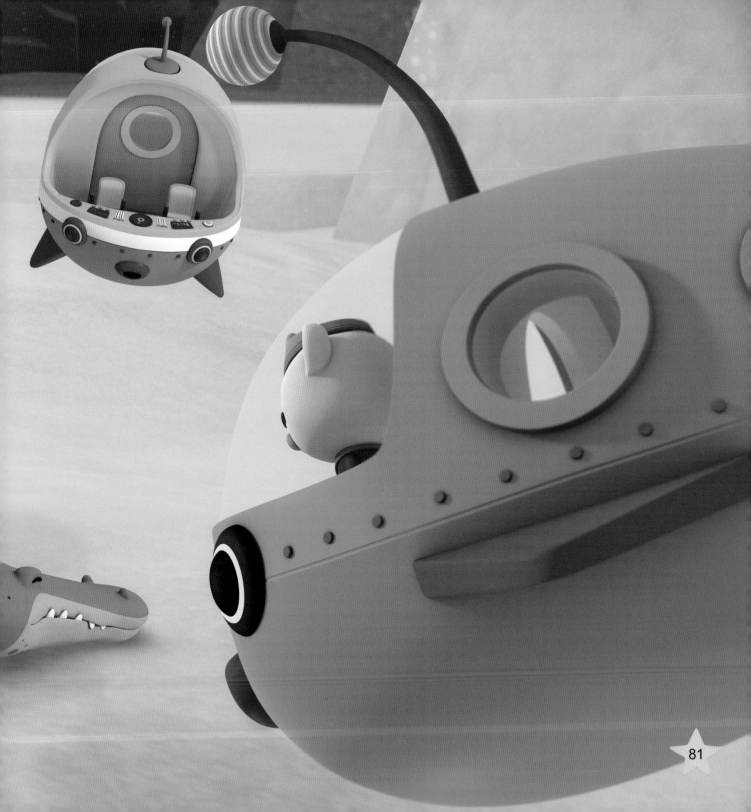

"可他太大了，进不了章鱼堡的舱门。"皮医生担心地说。

"我没有打算把他弄到章鱼堡里面去啊！"巴克队长回道，

"海底小纵队，马上准备给一只湾鳄加温。"

82

他们将湾鳄绑在了章鱼堡的顶部，皮医生在湾鳄身上放了一个测量器，他告诉巴克队长："这个装置会显示他的状态。"

"皮医生，你陪着他，其他人回到章鱼堡内。"巴克队长命令道。

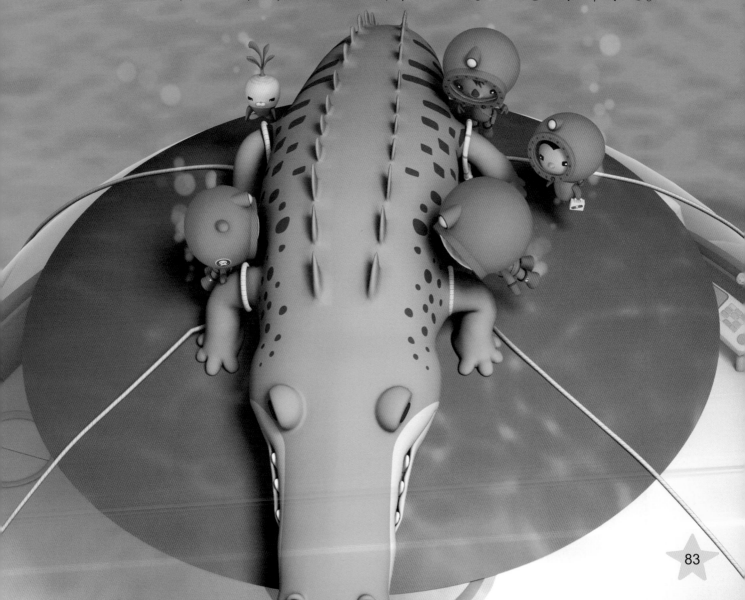

接着，巴克队长示意达西西升高章鱼堡的温度，并设计一条返回澳大利亚的路线。很快，湾鳄的身体开始暖和了。

"不只他暖和，我们在里面都快被烤熟了！"呱唧一边扇着风一边抱怨道。

皮医生惊喜地发现，湾鳄开始呼吸了。但是谢灵通告诉大家，他现在还只是呼气，他还需要吸进空气。

为了让湾鳄快点吸到空气，巴克队长进入了手动驾驶室，带着湾鳄朝海面上驶去。

穿过层层冰山之后，巴克队长终于带着湾鳄驶出了海面，让他接触到了空气。露出水面的湾鳄张开大嘴，大口呼吸着新鲜空气。章鱼堡里的伙伴们可就不好受了。

zhè er rè de jiù xiàng kǎo xiāng yí yàng　　　　guā jī zuò zài dì shang wú nài de shuō
"这儿热得就像烤箱一样！" 呱唧坐在地上无奈地说。

pí yī shēng　bìng rén zěn me yàng le　　　　bā kè duì zhǎng wèn dào
"皮医生，病人怎么样了？" 巴克队长问道。

tā kàn qi lai hěn hǎo　　wǒ děi kào jìn yì diǎn　　pí yī shēng yì biān huí dá　　yì
"他看起来很好，我得靠近一点。" 皮医生一边回答，一
biān jià shǐ zhe jiàn tǐng xiàng wān è kào lǒng
边驾驶着舰艇向湾鳄靠拢。

但是湾鳄突然向皮医生张开大嘴。"他刚刚想咬我！"受到惊吓的皮医生连忙躲向一边。

"别担心，皮医生。湾鳄的嘴大张大合的时候，是因为他太热了，这样可以达到散热的效果。"通过显示屏，谢灵通向皮医生解释道。

话音刚落，湾鳄开始拼命地摆动身体，试图挣开绑在身上的绳子。

"他可能要开始折腾了！"谢灵通提醒皮医生。

"你怎么现在才说！"皮医生叫道。

湾鳄挣扎得越来越激烈，整个章鱼堡开始左右摇晃，章鱼堡里的小伙伴也被晃得东倒西歪。

巴克队长显然已经无法通过手动驾驶控制住湾鳄了。

"这个怪物会破坏章鱼堡的，队长！"呱唧大叫道。

"如果湾鳄开始折腾，说明他太热了，降低他的体温就可以让他平静下来。达西西，马上降低章鱼堡的温度！越低越好！"巴克队长吩咐道。

"立即执行！队长！"达西西快速操控着按钮。

很快，湾鳄就安静下来了。不过，章鱼堡里的伙伴们可受冻了。

"我们还需要让章鱼堡再冷一会儿，一旦到达温暖海域，就可以让章鱼堡恢复正常温度，湾鳄就会自然醒来。"巴克队长安慰道。

到达澳大利亚海域后，达西西把章鱼堡的温度恢复正常了。巴克队长告诉大家，章鱼堡得留在这儿，大家用舰艇拖着湾鳄走。

"我们把这个大家伙送回家！"说着，巴克队长他们用舰艇带着湾鳄继续向前驶去。

93

zhè shì zěn me huí shì　　nǐ men zài gàn shén me　　　qīng xǐng guo lai de wān è dà hǎn dào

"这是怎么回事？你们在干什么？"清醒过来的湾鳄大喊道。

ō　　bié jǐn zhāng　wǒ men shì lái bāng nǐ de　　　bā kè duì zhǎng ān fǔ dào

"噢！别紧张，我们是来帮你的！"巴克队长安抚道。

bāng wǒ　　nà wǒ zěn me bèi kǔn zhù le　　kàn qi lai nǐ men dào xiàng shì lái zhuā wǒ de　　shuō

"帮我？那我怎么被捆住了？看起来你们倒像是来抓我的！"说

wán　　wān è dà lì fǎn kàng

完，湾鳄大力反抗。

tā hěn kuài jiù jiāng sān sōu jiàn tǐng shuǎi de dōng yáo xī huàng
他很快就将三艘舰艇甩得东摇西晃。

duì yuán men　　qì tǐng táo shēng　　　yǎn jiàn qíng kuàng bú miào　　bā kè duì zhǎng lì jí mìng lìng dào
"队员们，弃艇逃生！"眼见情况不妙，巴克队长立即命令道。

dà jiā xùn sù cóng jiàn tǐng zhōng chū lai　　yóu dào le wān è miàn qián
大家迅速从舰艇中出来，游到了湾鳄面前。

nǐ men zài gǎn xiàng qián yí bù　　wǒ jiù bǎ nǐ men quán dōu chī le　　wān è dà hǒu dào
"你们再敢向前一步，我就把你们全都吃了。"湾鳄大吼道。

bài tuō　　ràng wǒ men jiě shì yí xià　　bā kè duì zhǎng shuō dào
"拜托，让我们解释一下。"巴克队长说道。

duì zhǎng jiāng zhěng jiàn shì qing de lái lóng qù mài gào su le wān è　　wān è màn màn huí xiǎng qi lai
队长将整件事情的来龙去脉告诉了湾鳄，湾鳄慢慢回想起来

le　　tā zhēn chéng de duì hǎi dǐ xiǎo zòng duì biǎo shì le gǎn xiè
了，他真诚地对海底小纵队表示了感谢。

pí yī shēng kàn dào wān è shòu shāng le　　rè xīn de gěi tā bāo zā hǎo
皮医生看到湾鳄受伤了，热心地给他包扎好。

96

wǒ tū rán gǎn jué fēi cháng è　　　nǐ men hái shi
"我突然感觉非常饿，你们还是

gǎn jǐn chè ba　　　wān è bù hǎo yì si de shuō dào
赶紧撤吧！"湾鳄不好意思地说道。

bú yòng nǐ shuō　　wǒ men hái xiǎng huó mìng ne
"不用你说，我们还想活命呢！"

pí yī shēng shuō wán　　　dà jiā yì qǐ hé wān è yǒu hǎo
皮医生说完，大家一起和湾鳄友好

de gào bié le
地告别了。

97

 **海底报告**

欢迎进入本期海底报告，这次我们要介绍的是**湾鳄**！

湾鳄有张大嘴巴

长途跋涉离开家

鳄鱼当中它最大

河流大海皆为家

温水最适合居住

环境若变冷，睡觉省体能

海底小纵队居住在神秘的章鱼堡基地，每当有意外发生，他们就要出发去探险、拯救、保护。行动中，队员们配备了各式各样的装备，这次要介绍的是——耐热潜水服！

 耐热潜水服

耐热潜水服是突突兔发明的一套红色制服，不同于一般潜水服，它具有极强的隔热功能，能够有效防止高温烫伤。潜水服的头盔还可以连接章鱼眼镜，它能帮助海底小纵队看到微小的生物。

雪人蟹

大洋猪

港海豹

海胆入侵

魔鬼鱼

狮子鱼

水熊虫

鸭嘴兽

叶海龙

座头鲸

雪人蟹

海豚传媒官网 http://www.dolphinmedia.cn　海豚微博 http://weibo.com/dolphinmedia